在企业家座谈会上的讲话

（2020年7月21日）

习　近　平

人　民　出　版　社

在企业家座谈会上的讲话

（2020年7月21日）

习　近　平

今天，我们召开一个企业家座谈会，一是同大家谈谈心，二是给大家鼓鼓劲，三是听听大家对当前经济形势、“十四五”时期企业改革发展的意见和建议。

出席今天座谈会的，有国有企业负责人，有民营企业家，有外资企业和港澳台资企业管理人员，有个体工商户代表。大家身处不同行业、不同地区，都有长期经营管理的经历，对企业发展有自己的观察和思考。

刚才，7位代表作了很好的发言。大家谈形势实事求是，提建议针对性强，很有参考价值，我听了很受启发。有关部门要认真研究企业家们提出的意见和建议，及时制定相关政策措施。

下面，结合大家的发言，我讲几点意见。

一、保护和激发市场主体活力

改革开放以来，我国逐步建立和不断完善社会主义市场经济体制，市场体系不断发展，各类市场主体蓬勃成长。到2019年底，我国已有市场主体1.23亿户，其中企业3858万户，个体工商户8261万户。这些市场主体是我国经济活动的主要参与者、就业机会的主要提供者、技术进步的主要推动者，在国家发展中发挥着十分重要的作用。新冠肺炎疫情发生以来，在各级党委和政府领导下，各类市场主体积极参与应对疫情的人民战争，团结协作、攻坚克难、奋力自救，同时为疫情防控提供了有力物质支撑。借此机会，我向广大国有企业、民营企业、外资企业、港澳台资企业、个体工商户为疫情防控和经济社会发展作出的贡献，表示衷心的感谢！

经过全国上下共同努力，目前我国疫情防控

取得重大战略成果，经济发展呈现稳定转好态势，在疫情防控和经济恢复上都走在世界前列。我国经济一季度大幅下滑，二季度企稳回升、由负转正，增长3.2%，上半年国内生产总值下降1.6%，情况比预料的要好。我们要增强信心、迎难而上，努力把疫情造成的损失补回来，争取全年经济发展好成绩。

新冠肺炎疫情对我国经济和世界经济产生巨大冲击，我国很多市场主体面临前所未有的压力。市场主体是经济的力量载体，保市场主体就是保社会生产力。留得青山在，不怕没柴烧。要千方百计把市场主体保护好，为经济发展积蓄基本力量。

党中央明确提出要扎实做好“六稳”工作、落实“六保”任务，各地区各部门出台了一系列保护支持市场主体的政策措施。下一步，要加大政策支持力度，激发市场主体活力，使广大市场主体不仅能够正常生存，而且能够实现更大发展。

第一，落实好纾困惠企政策。要实施好更加积极有为的财政政策、更加稳健灵活的货币政策，增强宏观政策的针对性和时效性。要继续减税降费、减租降息,确保各项纾困措施直达基层、直接惠及市场主体。要强化对市场主体的金融支持,发展普惠金融,有效缓解企业特别是中小微企业融资难融资贵问题。要支持适销对路出口商品开拓国内市场。国有企业特别是中央企业要发挥龙头带动作用,带动上下游各类企业共渡难关。要加强国际合作,保护好产业链供应链。

第二,打造市场化、法治化、国际化营商环境。要实施好民法典和相关法律法规,依法平等保护国有、民营、外资等各种所有制企业产权和自主经营权,完善各类市场主体公平竞争的法治环境。要依法保护企业家合法权益,加强产权和知识产权保护,形成长期稳定发展预期,鼓励创新、宽容失败,营造激励企业家干事创业的浓厚氛围。要推进简政放权,全面实施市场准入负面清单制度,支持企业更好参与市场合作和竞争。要实施好外商投资法,放宽市场准入,推动贸易和投资便利化。对在中国注册的企业要一视同仁,完善公平竞争环境。

第三,构建亲清政商关系。各级领导干部要光明磊落同企业交往,了解企业家所思所想、所困所惑，涉企政策制定要多听企业家意见和建议，同时要坚决防止权钱交易、商业贿赂等问题损害政商关系和营商环境。要充分发挥市场在资源配置中的决定性作用，更好发挥政府作用。政府是市场规则的制定者，也是市场公平的维护者，要更多提供优质公共服务。要支持企业家心无旁骛、长远打算，以恒心办恒业，扎根中国市场，深耕中国市场。

第四，高度重视支持个体工商户发展。我国有8200多万个体工商户，带动就业人口超过2亿，是数量最多的市场主体，是群众生活最直接的服务者，当前面临的实际困难也最多。要积极帮助个体工商户解决租金、税费、社保、融资等方面难题，提供更直接更有效的政策帮扶。

二、弘扬企业家精神

改革开放以来，一大批有胆识、勇创新的企业家茁壮成长，形成了具有鲜明时代特征、民族特色、世界水准的中国企业家队伍。企业家要带领企业战胜当前的困难，走向更辉煌的未来，就要在爱国、创新、诚信、社会责任和国际视野等方面不断提升自己，努力成为新时代构建新发展格局、建设现代化经济体系、推动高质量发展的生力军。这里，我提几点希望。

第一，希望大家增强爱国情怀。企业营销无国界，企业家有祖国。优秀企业家必须对国家、对民族怀有崇高使命感和强烈责任感，把企业发展同国家繁荣、民族兴盛、人民幸福紧密结合在一起，主动为国担当、为国分忧，正所谓“利于国者爱之，害于国者恶之”。爱国是近代以来我国优秀企业家的光荣传统。从清末民初的张謇，到抗战时期的卢作孚、陈嘉庚，再到新中国成立后的荣毅仁、王光英，等等，都是爱国企业家的典范。改革开放以来，我国也涌现出一大批爱国企业家。企业家爱国有多种实现形式，但首先是办好一流企业，带领企业奋力拼搏、力争一流，实现质量更好、效益更高、竞争力更强、影响力更大的发展。

第二，希望大家勇于创新。创新是引领发展的第一动力。“富有之谓大业，日新之谓盛德。”企业家创新活动是推动企业创新发展的关键。美国的爱迪生、福特，德国的西门子，日本的松下幸之助等著名企业家都既是管理大师，又是创新大师。改革开放以来，我国经济发展取得举世瞩目的成就，同广大企业家大力弘扬创新精神是分不开的。创新就要敢于承担风险。敢为天下先是战胜风险挑战、实现高质量发展特别需要弘扬的品质。大疫当前，百业艰难，但危中有机，唯创新者胜。企业家要做创新发展的探索者、组织者、引领者，勇于推动生产组织创新、技术创新、市场创新，重视技术研发和人力资本投入，有效调动员工创造力，努力把企业打造成为强大的创新主体，在困境中实现凤凰涅槃、浴火重生。

第三，希望大家诚信守法。“诚者，天之道也；思诚者，人之道也。”人无信不立，企业和企业家更是如此。社会主义市场经济是信用经济、法治经济。企业家要同方方面面打交道，调动人、财、物等各种资源，没有诚信寸步难行。由于种种原因，一些企业在经营活动中还存在不少不讲诚信甚至违规违法的现象。法治意识、契约精神、守约观念是现代经济活动的重要意识规范，也是信用经济、法治经济的重要要求。企业家要做诚信守法的表率，带动全社会道德素质和文明程度提升。

第四，希望大家承担社会责任。我说过，企业既有经济责任、法律责任，也有社会责任、道德责任。任何企业存在于社会之中，都是社会的企业。社会是企业家施展才华的舞台。只有真诚回报社会、切实履行社会责任的企业家，才能真正得到社会认可，才是符合时代要求的企业家。这些年来，越来越多企业家投身各类公益事业。在防控新冠肺炎疫情斗争中，广大企业家积极捐款捐物，提供志愿服务，作出了重要贡献，值得充分肯定。当前，就业压力加大，部分劳动者面临失业风险。关爱员工是企业家履行社会责任的一个重要方面，要努力稳定就业岗位，关心员工健康，同员工携手渡过难关。

第五，希望大家拓展国际视野。有多大的视野，就有多大的胸怀。改革开放以来，我国企业家在国际市场上锻炼成长，利用国际国内两个市场、两种资源的能力不断提升。过去 10 年，我国企业走出去步伐明显加快，更广更深参与国际市场开拓，产生出越来越多世界级企业。近几年，经济全球化遭遇逆流，经贸摩擦加剧。一些企业基于要素成本和贸易环境等方面的考虑,调整了产业布局和全球资源配置。这是正常的生产经营调整。同时,我们应该看到,中国是全球最有潜力的大市场,具有最完备的产业配套条件。企业家要立足中国,放眼世界,提高把握国际市场动向和需求特点的能力,提高把握国际规则能力,提高国际市场开拓能力,提高防范国际市场风险能力,带动企业在更高水平的对外开放中实现更好发展,促进国内国际双循环。

三、集中力量办好自己的事

我在今年全国“两会”上讲过,面向未来,我们要逐步形成以国内大循环为主体、国内国际双循环相互促进的新发展格局。主要考虑是:当今世界正经历百年未有之大变局,新一轮科技革命和产业变革蓬勃兴起。以前,在经济全球化深入发展的外部环境下,市场和资源“两头在外”对我国快速发展发挥了重要作用。在当前保护主义上升、世界经济低迷、全球市场萎缩的外部环境下,我们必须充分发挥国内超大规模市场优势，通过繁荣国内经济、畅通国内大循环为我国经济发展增添动力，带动世界经济复苏。要提升产业链供应链现代化水平，大力推动科技创新，加快关键核心技术攻关，打造未来发展新优势。

我多次强调，中国开放的大门不会关闭，只会越开越大。以国内大循环为主体，绝不是关起门来封闭运行，而是通过发挥内需潜力，使国内市场和国际市场更好联通，更好利用国际国内两个市场、两种资源，实现更加强劲可持续的发展。从长远看，经济全球化仍是历史潮流，各国分工合作、互利共赢是长期趋势。我们要站在历史正确的一边，坚持深化改革、扩大开放，加强科技领域开放合作，推动建设开放型世界经济，推动构建人类命运共同体。

从明年开始，我国将进入“十四五”时期，这是在全面建成小康社会基础上开启全面建设社会主义现代化国家新征程的第一个五年，意义十分重大。党中央对制定“十四五”规划十分重视，相关准备工作正在进行。今天，大家对制定“十四五”规划提出了很多有价值的意见和建议，请有关方面认真研究吸收。相信通过共同努力，广大企业和个体工商户一定能在我国社会主义现代化进程中发挥更大作用、实现更大发展。

图书在版编目（CIP）数据

在企业家座谈会上的讲话/习近平 著. —北京：人民出版社，2020. 7

ISBN 978 - 7 - 01 - 022355 - 1

Ⅰ. ①在… Ⅱ. ①习… Ⅲ. ①习近平-讲话②企业发展-中国-学习参考资料 Ⅳ. ①D2 - 0②F279. 23

中国版本图书馆 CIP 数据核字（2020）第 131774 号

（RMC - ZJDXI - 089 - 20200721）

在企业家座谈会上的讲话

ZAI QIYEJIA ZUOTANHUI SHANG DE JIANGHUA

（2020 年 7 月 21 日）

习　近　平

人民出版社 出版发行

（100706　北京市东城区隆福寺街 99 号）

北京新华印刷有限公司印刷　新华书店经销

2020 年 7 月第 1 版　2020 年 7 月北京第 1 次印刷

开本：880 毫米×1230 毫米 1/32　印张：0. 5

字数：7 千字

ISBN 978 - 7 - 01 - 022355 - 1　定价：2. 00 元

邮购地址 100706　北京市东城区隆福寺街 99 号

人民东方图书销售中心　电话（010）65250042　65289539